SOPHIE

UND DIE WALDFEE

Marie-Louise Gay

Aus dem Englischen von Sophie Birkenstädt

CARLSEN

1 2 3   04 03 02
Alle deutschen Rechte bei Carlsen Verlag GmbH, Hamburg 2002
Originalcopyright © 2002, Marie-Louise Gay
First published in English by Groundwood Books/Douglas & McIntyre, Canada
Originaltitel: Stella – Fairy of the Forest
ISBN 3-551-51571-9
Printed in China

Mehr Informationen und Leseproben
aus unserem Programm
finden Sie unter www.carlsen.de

Für meinen Vater

»Sophie!«, rief Theo. »Sophie! Wo bist du?«
»Hier«, flüsterte Sophie.

»Wo?«, sagte Theo. »Ich kann dich nicht sehen.«
»Weil ich gerade übe, unsichtbar zu sein, darum«, sagte Sophie.

»Jetzt kann ich dich sehen«, sagte Theo. »Wie hast du das gemacht?«
»Ich hab an unsichtbare Sachen gedacht«, antwortete Sophie, »wie Wind oder Musik …«
»Oder Feen?«, fragte Theo.

»Feen sind nicht unsichtbar«, sagte Sophie. »Ich hab schon hunderte gesehen.«
»Wirklich?«, sagte Theo. »Wo denn?«
»Da drüben im Wald«, sagte Sophie. »Komm, lass uns hingehen, Theo.«

»Ich weiß nicht«, sagte Theo. »Gibt's im Wald Bären?«
»Bären schlafen tagsüber«, sagte Sophie. »Kommst du, Theo?«

»Wie sehen Feen aus?«, fragte Theo.
»Sie sind winzig klein und wunderschön«, sagte Sophie, »und sie fliegen ganz schnell.«
»Ich seh eine!«, sagte Theo. »Schau mal!«

»Das ist ein Schmetterling, Theo«, sagte Sophie.
»Essen gelbe Schmetterlinge Zitronen?«, fragte Theo.
»Zitronenfalter tun das«, sagte Sophie.

»Dann haben blaue Schmetterlinge bestimmt ein Stück Himmel gegessen!«, sagte Theo.

»Woher weißt du das?«, fragte Sophie.

»Ich weiß eine Menge Sachen«, sagte Theo.

»Schau mal«, sagte Theo, »auf der Wiese sind ein paar Wolken gelandet.«
»Das sind keine Wolken, Theo. Das sind Schafe.«
»Sind Schafe gefährlich?«, fragte Theo.

»Ungefähr so gefährlich wie Wolldecken«, sagte Sophie.
»Komm mit und lass uns Hallo sagen.«
»Geh du«, sagte Theo. »Ich kann ihnen ja von hier aus zuwinken.«

»Wer hat all diese Blumen gepflanzt?«, fragte Theo.
»Die Vögel und Bienen«, sagte Sophie.
»Bienen!«, schrie Theo. »Stechen die uns?«

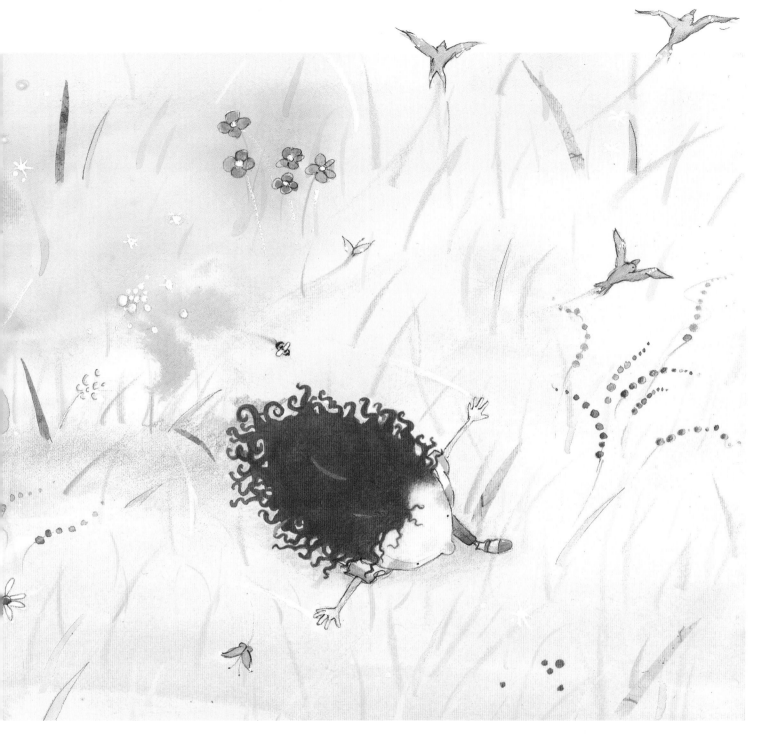

»Nicht, wenn wir uns ganz langsam bewegen«, sagte Sophie.
»Sophie?«, sagte Theo. »Du hast eine Biene im Haar.«
»Lauf, Theo, lauf!«, schrie Sophie.

»Wir müssen durch den Bach waten«, sagte Sophie.
»Ich will keine nassen Füße bekommen«, sagte Theo.
»Ich trag dich huckepack. Halt dich fest!«

»Ist das nicht zu rutschig?«, fragte Theo. »Fallen wir da nicht hin?«
»Nein, bestimmt nicht«, sagte Sophie. »Ich trete auf diese Steine.«
»Sophie?«, sagte Theo. »Einer der Steine bewegt sich.«

»Nein, tut er nicht.«
»Ähhh ...«, sagte Theo.

»War das eine Schildkröte, Sophie?«, fragte Theo.
»Ja, Theo«, seufzte Sophie.

»Ist es im Wald nicht schön?«, fragte Sophie. »Guck dir mal diese großen alten Bäume an.«
»Sind die älter als Großmama?«, fragte Theo.
»Klar«, sagte Sophie. »Die sind mindestens hundert Jahre alt.«

»Ist ihre Haut deshalb so runzlig?«, fragte Theo.
»Das ist keine Haut«, sagte Sophie. »Das ist Borke.«
»Großmamas Borke ist viel weicher«, sagte Theo. »Besonders im Gesicht.«

»Kletter hier rauf«, sagte Sophie. »Man sieht die ganze Welt.«
»Können Kaninchen auf Bäume klettern?«, fragte Theo.

»Nein, aber du«, sagte Sophie. »Los, Theo. Hier oben ist es ganz toll.«
»Hier unten ist es auch ganz toll«, sagte Theo. »Bei den Kaninchen.«

»Schau doch, Theo«, sagte Sophie. »Ist das nicht eine hübsche Schlange?«
»Sie ist ganz schön lang«, sagte Theo. »Fressen Schlangen Menschen?«
»Dafür ist sie zu klein«, sagte Sophie.

»Vielleicht fressen sie nur kleine Menschen«, sagte Theo. »Was ist das?«

»Ein Stachelschwein«, sagte Sophie. »Nicht anfassen! Es pikst.«

»Wer will schon ein Stachelschwein anfassen«, sagte Theo. »Oder eine Schlange.«

»Ich bin die Größte«, sang Sophie.

»Wie kommt es, dass Felsen so groß werden?«, fragte Theo.

»Sie werden jeden Tag von einem Riesen gegossen«, sagte Sophie. »Komm rauf, Theo.«

»Ich glaube, der Riese gießt gerade seine Felsen«, sagte Theo.

»Das ist Regen, Theo«, sagte Sophie. »Wollen wir uns eine Waldhütte bauen?«

»Wie?«, fragte Theo. »Warum?«
»Wir decken das Dach mit Zweigen und Farnwedeln«, sagte Sophie.
»Und wir schlafen auf einem Moosbett.«

»Schlafen?«, sagte Theo. »Wachen die Bären nicht bald auf?«
»Vielleicht hilfst du mir einfach beim Tragen«, sagte Sophie.

»Schööön!«, sagte Sophie.
»Was machen wir jetzt?«, fragte Theo. »Wir halten Ausschau nach Feen«, sagte Sophie.
»Wenn du eine siehst, darfst du dir was wünschen.«

»Da ist eine!«, rief Theo.
»Wo? Wo?«
»Zu spät!«, sagte Theo. »Weg ist sie.«

»Na gut«, sagte Sophie. »Was hast du dir gewünscht?«
»Ich hab mir gewünscht, immer hier bleiben zu können«, sagte Theo.
»Ich auch«, sagte Sophie.